JN184672

まんじゅうこわい

きょうは、町内《ちょうない》のわかいもんの、
えんかいなんですが、どうせひまだからてんで、
はやくから、なかまがあつまりまして、
みんなで、わいわいやりはじめました。
わだいはといいますと、
それぞれに、じぶんのきらいな、いきものを、
いいあおうじゃないか、
ということになりまして、

「おれは、なんといっても、
へびが、きらいだねえ。
あんな、にょろにょろした
いきものが、いるだけで、
ぞっとするよ」

「おれは、たぬきだ。
なんでも、おばけになって、
でてくるそうじゃあないか。
まだ、おばけには、
あってないけど、
おばけは、ごめんだねえ」

「おれは、くもが、
きらいだねえ。
あのべたべたした糸《いと》の、
きもちわるさったら
ないねえ」

「やっぱり、こうもりだよ、
こうもり。
けもののくせに、
ぴらぴらとびやがって、
きみがわるいや」

「おれは、けむしが、きらいだ。
葉《は》っぱのうらなんかに、
まとまっているのを
みたことあるかい。
ぞっとするぜ」

「ありが、いやだねえ。
ぞろぞろ、ぞろぞろ
はいずりまわりやがって、
みてると、むかむかするよ」

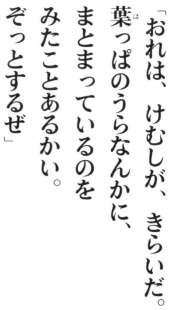

とまぁ、みんなが、
ひろうしたんですが、
さいごにのこった、
松《まつ》つぁんというひとが
いまして、みんなが、
「松《まつ》つぁんは、なにが
きらいなんだい？」
と、ききますと、
「おれは、きらいなものなんか
ないよ。だいいち、
いいわかいもんが、
あれがきらいだ、
これがこわいって、
おかしいじゃあねえか」
「じゃあ、松《まつ》つぁんは、
へびやおばけは、
こわくないのかい？」
「あたりまえだよ！」
と、おきあがりまして、

「へびなんてものは、
あたまのいたいときに、
あたまにまけばいいんだよ。
へびのほうで、
かってにしめてくれるから、
つめたくって、　きもちがいいや」

「たぬきが、　ばけるう？
ばけてでてきたら、
めしをたかせて、
せんたくやそうじを、
させればいいじゃあねえか」

「くもなんてものは、
糸《いと》をださせて、
なっとうにまぜれば、
ねばりがでらぁ」

「こうもりなんか、
なんびきかつかまえて、
まとめて、
かさにしちゃうね」

「けむしは、はしにむすびつけて、
はぶらしだ」

「ありなんぞは、まとめといて、
ごまのかわりに、ごはんにまくよ。
まあ、ごまが、うごきまわって、
たべづらいだろうけど」

……と、いせいのいいことを、
いいつづけた、松《まつ》つぁんですが、

「おっと、まずいや」

と、きゅうに、かたをすくめた
ものですから、

「どうしたんだい、松《まつ》つぁん？」

「いや……、ちょっと、こわいものを、
おもいだしちゃったんだよ」

「なんだい、それは!?」

いせいのいい松《まつ》つぁんにも、こわいものが
あるとしって、みんなは、ひざをのりだしまして、

「なんだよ、こわいものは？　おしえなよ」

松《まつ》つぁんは、ふるえだしまして、

「いいかい、いちどしかいわないよ」

「うん、なんだよ、こわいものは？」

「まっ、まんじゅう！」

「はあ？
おい、まんじゅうという
なまえのいきものを、しっているか？」
「いいや、……おい、松《まつ》つぁん。
それは、どんないきものだい？」
「そうじゃあないよ。おかしやで、
うっているやつだよお」
「なんだって!?
あんこのはいっている、
あのまんじゅうかい？」
「あああ、それをいうなよ。
おもいだしただけで、
きぶんが、わるくなってきた」

松《まつ》つぁんのかおが、
だんだんとあおくなってきまして、
「ううう、もう、きがとおくなりそうだ。
だれか、となりのへやに、
ふとんをしいてくれ――」
そういうと、
となりのへやにひっこんで、
ふとんをかぶって、
ねてしまいました。

火の用心

このようすをみた、　みんなは、
おもわず、　かおを、　みあわせまして…、
というのも、　ふだんから、　みんなは、
松《まつ》つぁんのことを、
いやなやつだと、
おもっていたものですから、
そんなことなら、　まくらもとに
まんじゅうを、　つみあげて、
松《まつ》つぁんを、
ふるえあがらせてやろう、
という、　そうだんは、
すぐに、　まとまりました。

さっそく、
みんなは、てわけして、
おかしやをまわり、
まんじゅうを、
かいあつめてきました。

上用《じょうよう》まんじゅう
唐《とう》まんじゅう
うすかわまんじゅう
酒《さか》まんじゅう
温泉《おんせん》まんじゅう
そばまんじゅう
田舎《いなか》まんじゅう
ふまんじゅう

かるかんまんじゅう
栗《くり》まんじゅう
よもぎまんじゅう
あげまんじゅう
あんまんじゅうに
肉《にく》まんじゅう
紅白《こうはく》まんじゅう
そうしきまんじゅう
これを、大《おお》きなおぼんに、
山《やま》もりにしますと、

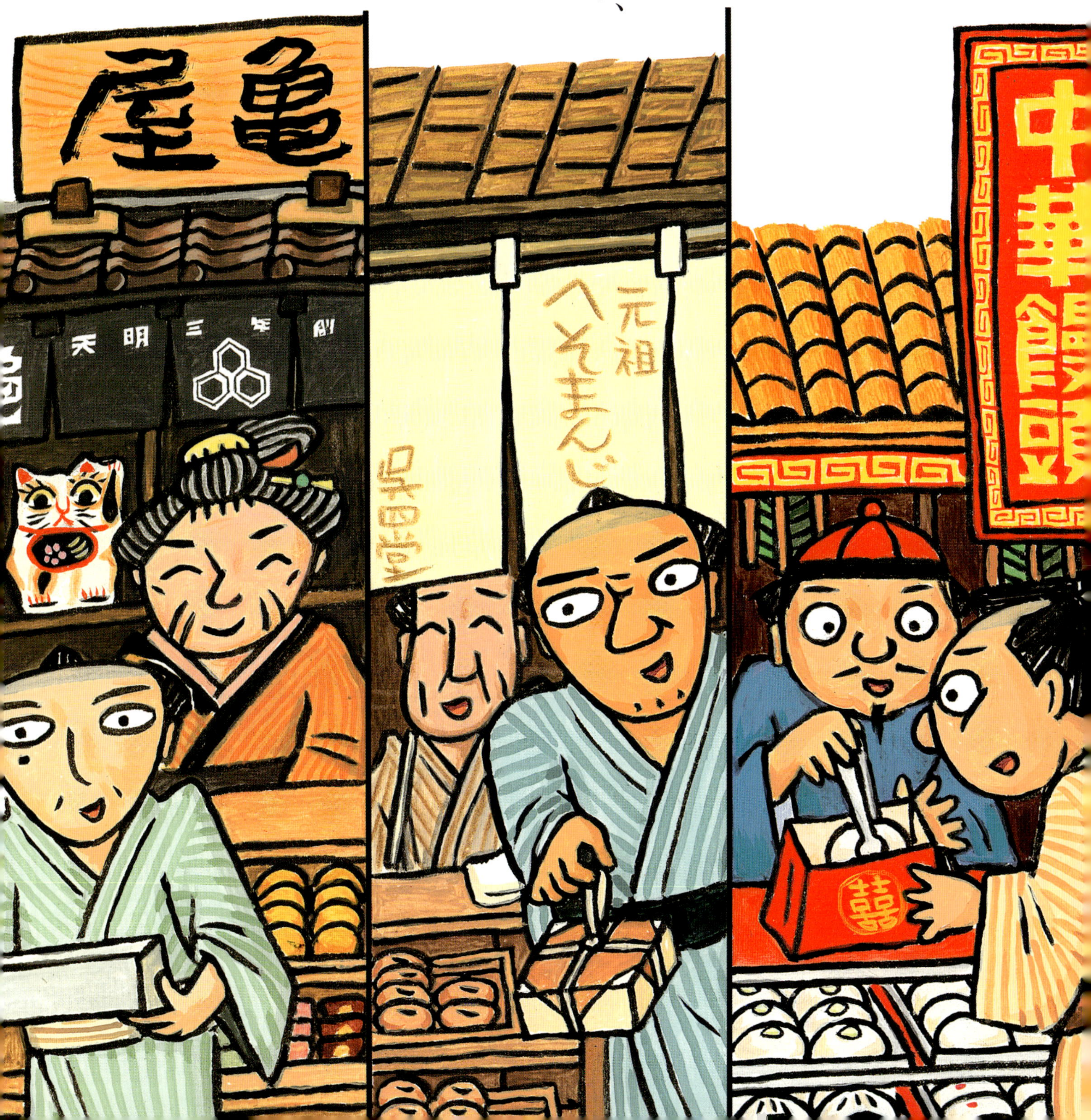

火の用心

そっと、となりのへやにはこびこみ、
「これなら松《まつ》つぁんも、
びっくりぎょうてんだ」
てんで、わるいやつらもいるもんです。
……
「そろそろやろうか」
ということで……

「おーい、松《まつ》つぁーん。
こっちへきなよー
たべものがきたよー」
といいますと、
「……そうかい、おきていくけど
あれのことは、
いいっこなしだよ」
「わかった。
だいじょうぶ、
いわないから、
おきてきな」
「それじゃあ……」
てんで、松《まつ》つぁん、
おきだしたようなんですが、
……………

「うわぁーっ
まんじゅうーっ」
と、ひめいがあがり、
さあ、こちらのへやでは、
みんなおおよろこび。
「こわいよー、なんて
ひどいことをしやがるんだ。
まんじゅう、こわいーっ」
と松《まつ》つぁんが、わめけばわめくほど、
みんなは、
わらいをこらえるのに、ひっしでして、
ところが、しばらく、ひめいが
つづいていたんですが、
さて、松《まつ》つぁんはといいますと、
……

「うわーっ、
唐《とう》まんじゅうだー
こわいーっ、
いちばん、こわいーっ」

「これは、うすかわまんじゅう！
こわいーっ
酒《さか》まんじゅう！
こわーい、こわい」

「栗《くり》まんじゅうだ！
かわが、こわいねえ。
あんこが、こわい。
栗《くり》が……うーん、栗《くり》も
こわい！」

「まんじゅうは、みんな、うま…
じゃなくて、こわい。
まんじゅうこわい、
こわいは、まんじゅう。
こーわい、こわい……」

「なんだい、へんだよ?!
……なんだか、
うたってますよ」
「……たしかに、
ようすが、へんだねえ。
ちょっと、なかを
のぞいてごらんよ」

そこで、
となりのへやを
のぞきますと……

松《まつ》つぁんが、
まんじゅうを
むちゅうになって、
ほおばっているでは
ありませんか、

「あのやろう
まんじゅうが、こわい、
なんていいやがって、
だましやがったな！」
てんで、
みんなで、となりのへやにのりこんで、

「こらーっ、松《まつ》っ！
おまえがほんとに
こわいものは、
いったいなんだ!?」
といいますと、
松《まつ》つぁん、すかさず、
「うーん、このへんで、
うまーいお茶《ちゃ》が、
こわい！」

落語絵本を作った人
川端誠さん

落語というものは、うまい噺家さんのてにかかりますと、何度同じ噺を聞いても面白いもので、ストーリーはもちろん、オチもしっかりバレていてもくり返し聞くことができる……というよりも、聞けば聞くほど面白いものでして、これはといいますと、落語というものは、ストーリーを楽しみつつ、噺の「間（ま）」や「呼吸」というものを楽しむものだからなんですね。

ですから、噺を暗記する程わかっていて、次にこうくるとわかっていればいる程、そいつをポンといわれたとき、おかしいんですね。まあ、これが芸というものなんでしょうが……。

絵本も、お子達が何度も同じ絵本を読んでくれというのも、ストーリーを楽しむということもあるんでしょうが、本をめくりながら、次、次と現れてくる絵の「間」というものを楽しんでいるからなんであります。もちろん、お子達だけではありませんで、私なんぞもそんな風にして、絵本を楽しんでおります。

噺の「間」もそうなんですが、落語にはさまざまな人と人との関係が誇張されて語られておりまして、しみじみと教えられることも多く、この「まんじゅうこわい」も、いじめ話なんですが、根元のところではみんな仲良しなんでありましょう。

「間」が理解できるということは大切なことでして、これがわからないと、それこそ「間抜け」になってしまいます。人と人とも「間」なんでありまして、ですから「人間」というのは、うまくつけたものだと思います。

かわばた・まこと　1952年生まれ。シリーズごとにテーマや表現技法をかえて、多様な世界を展開している。『鳥の島』『森の木』『ぴかぴかぷつん』『お化けシリーズ』（ＢＬ出版）など著作多数。絵本作家ならではの的を射た絵本解説も好評。落語絵本に『ばけものつかい』『はつてんじん』『じゅげむ』『おにのめん』『めぐろのさんま』『ときそば』（以上クレヨンハウス）『井戸の茶わん』『ねこのさら』『三方一両損』『芝浜 上』『芝浜 下』（以上ロクリン社）。『芝浜』は絵本初の上下巻となる。

crayonhouse

発行日――――1996年３月第１刷　2025年7月25日第48刷

発行人――――落合恵子

発行――――クレヨンハウス

東京都武蔵野市吉祥寺本町２-15-６

TEL.0422-27-6759 FAX.0422-27-6907

URL　https://www.crayonhouse.co.jp/

印刷・製本――――シナノ印刷株式会社

©1996KAWABATA MAKOTO

初出・月刊『音楽広場』1995年５月号「おはなし広場」